COLLECTION SIGNÉ

Une signature. Par ces quelques traits, les artistes concluent leurs œuvres. Elle est la preuve de leur engagement, de la sincérité de leur création et de la paternité de leur discours. La collection Signé veut rassembler des romans graphiques personnels, exigeants : des œuvres d'auteurs.

Ouvrages déjà parus

Traduit de l'anglais (États-Unis)
par Jeanne Guyon

Lettrage : Michel Brun

Première édition

© BOUCQ / CHARYN /
ÉDITIONS DU LOMBARD
(DARGAUD-LOMBARD S.A.) 2014

D/2014/0086/398
ISBN 978-2-8036-3417-0

Conception graphique : Eric Laurin
Dépôt légal : novembre 2014
Imprimé en Belgique par Lesaffre

LES ÉDITIONS DU LOMBARD
7, AVENUE PAUL-HENRI SPAAK
1060 BRUXELLES - BELGIQUE

WWW.LELOMBARD.COM

PEFC-Certifié
Ce produit est issu de
forêts gérées
durablement et de
sources contrôlées.

PEFC/07-31-184   www.pefc.org

LITTLE TULIP

SIGNÉ

B O U C Q
C H A R Y N

LITTLE TULIP

COULEURS :
ALEXANDRE BOUCQ

LE LOMBARD

NEW YORK 1970

TIENS, BONJOUR, AZAMI.

HEY, PAUL. TU TE DESSINES UN NOUVEAU TATOUAGE ! MONTRE-LE-MOI !?!

J'AI FAIT DES DESSINS POUR TOI. JE CROIS AVOIR BIEN TRAVAILLÉ !... MAIS JE NE TE LES MONTRERAI...

... QUE SI TU ME MONTRES TES TATOUAGES !

HORS DE QUESTION !

ET QUAND ME FERAS-TU UN TATOUAGE POUR MOI ? RIEN QUE POUR MOI ?

TU ES TROP JEUNE POUR ÇA.

PASSE-MOI PLUTÔT CE TÉLÉPHONE POUR QU'IL ARRÊTE DE SONNER.

PARFAIT. J'ARRIVE TOUT DE SUITE.

JE TE CONFIE LA BOUTIQUE. JE REGARDERAI TES DESSINS À MON RETOUR.

O.K., O.K.

FRANCK T'ATTEND LÀ-HAUT, IL A UN PATIENT POUR TOI.

SALUT, PAUL. J'AI BESOIN DE TES TALENTS UNE FOIS DE PLUS.

PUISQUE VOUS AVEZ VU VOTRE AGRESSEUR, VOUS ALLEZ NOUS FAIRE SA DESCRIPTION LE PLUS PRÉCISÉMENT POSSIBLE...

JE VAIS ESSAYER.

C'ÉTAIT UN LATINO... DE TAILLE MOYENNE, JE DIRAIS.

LES YEUX NOIRS. LES CHEVEUX NOIRS ONDULÉS...

... C'EST PAS FACILE... IL FAUT DIRE QUE ÇA S'EST PASSÉ TELLEMENT VITE !... IL ÉTAIT PLUTÔT MINCE AVEC LES LÈVRES ÉPAISSES... J'ÉTAIS COMMOTIONNÉ, VOUS SAVEZ... AH AUSSI, IL AVAIT UNE CHEMISE BARIOLÉE.

TIENS, FRANCK, VOILÀ CE QUE JE VOIS.

MERCI, PAUL.

TENEZ, MONSIEUR, REGARDEZ BIEN CE PORTRAIT. EST-CE QUE VOUS RECONNAISSEZ VOTRE HOMME ?

C'EST INCROYABLE, C'EST EXACTEMENT LUI !... OUI, C'EST LUI. LES YEUX, LES CHEVEUX, TOUT Y EST. MAIS COMMENT IL FAIT SON COMPTE, VOTRE ARTISTE ?

J'EN REVIENS PAS, ON DIRAIT QU'IL L'A DESSINÉ COMME S'IL ÉTAIT DEVANT LUI.

NOTRE ARTISTE EST UN VRAI SPÉCIMEN. IL NE PARLE PAS BEAUCOUP MAIS IL A UN TALENT IMPRESSIONNANT POUR SAISIR LES PERSONNALITÉS.

8

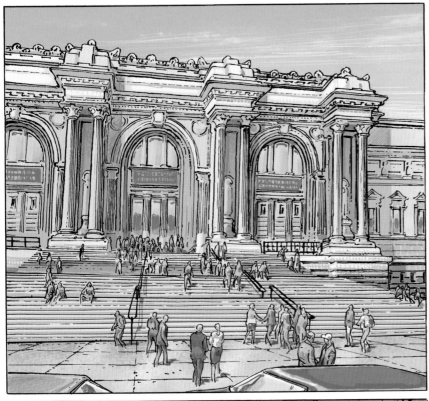

EH, VAN GOGH ! QU'EST-CE QUE TU NOUS DESSINES DE BEAU ? TU VOUDRAIS PAS FAIRE NOTRE PORTRAIT ?

MOI JE PRÉFÉRERAIS QU'IL ME FABRIQUE DES BEAUX DOLLARS TOUT NEUFS.

EN ATTENDANT, BALANCE TOUJOURS LES VIEUX MODÈLES QUE T'AS SUR TOI.

T'ES MUET, CONNARD ?

À VOTRE PLACE, JE PRENDRAIS MA BONNE HUMEUR ET J'IRAIS LA TESTER AILLEURS.

ÇA VA, ÇA VA, MON FRÈRE.

JE NE SUIS PAS TON FRÈRE. DÉGAGE, CONNARD !

JE SUIS UNE BÊTE FÉROCE, UN LOUP-GAROU. J'AI LA FÉROCITÉ DANS LE SANG...

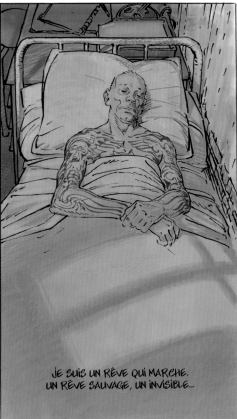

JE SUIS UN RÊVE QUI MARCHE. UN RÊVE SAUVAGE, UN INVISIBLE...

MA VIE A COMMENCÉ ET PRIS FIN EN 1947 DANS UNE RUE OBSCURE DE MOSCOU...

AVEC MON PÈRE ET MA MÈRE, NOUS ÉTIONS DEVENUS DES VOYAGEURS SANS DESTINATION.
J'AVAIS SIX ANS, MA FAMILLE AVAIT QUITTÉ WASHINGTON HEIGHTS À MANHATTAN POUR ÉMIGRER À MOSCOU,
UN PEU AVANT CE QUE LES SOVIETS AIMENT APPELER "LA GRANDE GUERRE PATRIOTIQUE".

JE NE SAIS RIEN DES IDÉES POLITIQUES DE PAPA. C'EST UN ARTISTE,
IL N'A JAMAIS GAGNÉ GRAND-CHOSE.

MAIS SON DÉSIR LE PLUS CHER ÉTAIT D'ÉTUDIER LE DÉCOR DE CINÉMA AVEC
UN CINÉASTE RUSSE UN PEU FOU : SERGEÏ EISENSTEIN.

UN TYPE COUVERT DE GLOIRE QUI VIVAIT COMME UN SINGE AU BOUT
D'UNE LAISSE ET ENSEIGNAIT À L'ÉCOLE DE CINÉMA DE MOSCOU.

JE NE SAIS PAS TRÈS BIEN COMMENT NOUS AVONS SURVÉCU
PENDANT LA GUERRE. MAMAN, ELLE, ÉTAIT INFIRMIÈRE
DANS UN ASILE DE VIEILLARDS.

ET PAPA JOIGNAIT LES DEUX BOUTS EN DONNANT DES COURS DE DESSIN AUX
ENFANTS DE MÉDECINS ET DE SCIENTIFIQUES SOVIÉTIQUES.

IL A TRAVAILLÉ SUR UN OU DEUX FILMS D'EISENSTEIN, NOTAMMENT "ALEXANDRE NEVSKI".

IL M'APPRENAIT LE DESSIN À MOI AUSSI, IL DISAIT MÊME QUE J'ÉTAIS SON MEILLEUR ÉLÈVE.

LE DESSIN EST QUELQUE CHOSE DE TRÈS IMPORTANT POUR MOI, TU SAIS, C'EST UNE VRAIE AVENTURE POUR L'ESPRIT.

QUAND JE DESSINE, JE TENTE DE SAISIR L'ESPRIT QUI SE TROUVE DANS LES FORMES QUI NOUS ENTOURENT. C'EST L'ESPRIT QUI CRÉE LES FORMES ET, COMME UN MIROIR, LES FORMES RENVOIENT SON IMAGE...

JE SAIS QUE TU ES BIEN JEUNE POUR COMPRENDRE, MAIS PLUS TARD TU T'EN SOUVIENDRAS.

13

J'AIMAIS QUAND MON PÈRE PRENAIT MA MAIN POUR DESSINER. LES IMAGES APPARAISSAIENT SOUS MES DOIGTS COMME PAR MIRACLE.

JE VOIS QUE TOI AUSSI, PAUL, TU AS REPÉRÉ NOS ANGES GARDIENS QUI NOUS SUIVENT PARTOUT.

ON VA LEUR ARRANGER LE PORTRAIT À NOS PÈRES NOËL DÉMONIAQUES.

REGARDE, MAMAN, CE QU'ON A FAIT.

VOUS NE DEVRIEZ PAS VOUS AMUSER À RIDICULISER CES HOMMES, C'EST DANGEREUX, ILS PEUVENT NOUS CAUSER BEAUCOUP D'ENNUIS.

J'ENTENDS TELLEMENT DE CHOSES EFFRAYANTES, NOUS DEVONS FAIRE TRÈS ATTENTION.

MAIS MAMAN, NOUS N'AVONS RIEN FAIT DE MAL. C'EST JUSTE UN JEU.

LE PETIT A RAISON, CE NE SONT QUE DES DESSINS, IL N'Y A PAS DE QUOI EN FAIRE UNE AFFAIRE D'ÉTAT.

ET NOUS SOMMES CITOYENS AMÉRICAINS APRÈS TOUT.

OUI, MAIS NOUS NE SOMMES PAS CHEZ NOUS ICI ! NOUS SOMMES TOLÉRÉS ICI, MÊME UN DESSIN PEUT NOUS MENER EN PRISON OU NOUS FAIRE TUER.

POLICE ! VOUS ÊTES EN ÉTAT D'ARRESTATION !

MAIS POURQUOI ?!?

ESPIONNAGE ! INTELLIGENCE AVEC UN PAYS ENNEMI DE L'URSS.

MAIS C'EST FAUX !

C'EST UNE MACHINA-TION !

LAISSEZ ÇA !

ESPÈCES DE PORCS !

LA FERME !!

ET ÇA, CAMARADE, CE N'EST PAS DE L'ESPIONNAGE ? C'EST QUOI, CES PLANS ?!

CE SONT DES DÉCORS DE CINÉMA. C'EST MON TRAVAIL, JE BOSSE AVEC EISENSTEIN !...

TU NE DEVRAIS PAS TE MOQUER DE LA POLICE DU PAYS QUI T'ACCUEILLE.

C'EST PAS GENTIL, CAMARADE.

JE NE SUIS PAS VOTRE CAMARADE ! JE SUIS CITOYEN AMÉRICAIN ! VOUS N'AVEZ PAS LE DROIT DE NOUS TRAITER COMME ÇA !

ICI, NOUS AVONS TOUS LES DROITS. SI VOUS NE VOULEZ PAS VOUS PLIER À NOS RÈGLES, CAMARADE, NOUS AVONS DES CENTRES DE RÉÉDUCATION POUR LES RÉCALCITRANTS.

MES PARENTS FURENT CONDAMNÉS POUR ESPIONNAGE...

C'EST AINSI QUE NOUS NOUS SOMMES RETROUVÉS DANS UN TRAIN EN DIRECTION DE LA PROVINCE DE LA KOLYMA...

CE VOYAGE INTERMINABLE DURA DEUX MOIS. NOUS ÉTIONS TELLEMENT SERRÉS AU DÉBUT QUE NOUS DORMIONS DEBOUT. CERTAINS MOURAIENT MAIS NOUS RESTIONS LES UNS CONTRE LES AUTRES, MORTS ET VIVANTS. ON S'ARRÊTAIT RÉGULIÈREMENT POUR NETTOYER LES WAGONS DES CADAVRES ET EXCRÉMENTS...

CEUX QUI ESSAYAIENT DE PROFITER DE CES ARRÊTS POUR S'ENFUIR ÉTAIENT EXÉCUTÉS SANS SOMMATION.

ON NOUS SERVAIT UN INFÂME BROUET POUR TOUTE NOURRITURE QU'ON INGURGITAIT À MÊME LA LOUCHE, ET LE TRAIN REPARTAIT, LAISSANT LES MORTS À LEUR SORT...

NOUS AVONS FINALEMENT ATTEINT LA VILLE PORTUAIRE DE VARINO POUR EMBARQUER SUR UN NAVIRE D'ESCLAVES : "LE PRINCE IGOR".

LES PRISONNIERS ÉTAIENT HISSÉS À BORD À L'AIDE DE FILETS, COMME DES POISSONS DÉSESPÉRÉS.

MON CARNET !
MES DESSINS !...

LES HOMMES ET LES FEMMES FURENT ENCAGÉS SÉPARÉMENT...

DES HOMMES SONT DESCENDUS, DES URKAS, DES CRIMINELS ENDURCIS.

ILS SE RUÈRENT DANS LES CAGES DES FEMMES...

... ET PRODUISIRENT UN BALLET HALLUCINANT...

NON, PAUL,
NE REGARDE
PAS ÇA !

ILS ÉGORGEAIENT LES FEMMES QUI SE REFUSAIENT À EUX ET, SANS LA MOINDRE ÉTINCELLE DE PLAISIR, ILS CHEVAUCHAIENT DES FEMMES ÉPERDUES ET À DEMI MORTES DE FAIM.

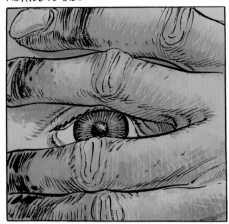  

MAIS LE PLUS FASCINANT ÉTAIT LA DANSE DES DESSINS ANIMÉS PAR LES CONVULSIONS DE LEURS CORPS...

PUIS CES CONTORSIONNISTES EN FOLIE DISPARURENT AUSSI MYSTÉRIEUSEMENT QU'ILS ÉTAIENT ARRIVÉS.

ÇA VA, ILS N'ONT PAS FAIT DE MAL À MAMAN, ELLE EST SAINE ET SAUVE.

ON NOUS A DÉBARQUÉS À MAGADAN, LA CAPITALE DE LA PROVINCE DE LA KOLYMA, EN SIBÉRIE. C'EST PAR CAMIONS QU'ON NOUS A ACHEMINÉS AUX CAMPS.

DÈS NOTRE ARRIVÉE, ILS ONT SÉPARÉ LES HOMMES DES FEMMES.

SANS QUE J'AIE EU LE TEMPS DE LEUR DIRE AU REVOIR, MON PÈRE ET MA MÈRE FURENT AVALÉS PAR LE GOULAG...

J'AI SU ALORS QUE QUELQUE CHOSE EN MOI VENAIT DE MOURIR.

JE FUS AMENÉ À L'ORPHELINAT. CELUI DES ENFANTS DE SABOTEURS ET AUTRES ENNEMIS DU PEUPLE. IL Y AVAIT DEUX SECTIONS : L'UNE POUR LES FILLES, L'AUTRE POUR LES GARÇONS. C'EST LÀ QUE JE FUS ASSIGNÉ... C'EST LÀ QU'A COMMENCÉ MA DEUXIÈME VIE.

ON DIRAIT BIEN QUE NOTRE BAD SANTA A REPRIS DU SERVICE.

POUBELLES POUR NE PAS SE RETROUVER MACULÉ DE SANG.

ET IL APPRÉCIE TOUJOURS DE NOUS LAISSER UNE SIGNATURE SUR SES CRIMES.

EH, VOILÀ NOTRE VAN GOGH !

MAIS C'EST L'EFFERVESCENCE DES GRANDS JOURS !

ON A À NOUVEAU UNE FILLE VIOLÉE ET ÉGORGÉE, ÇA TE DIT QUELQUE CHOSE ? FAUT S'ATTENDRE À CE QUE LA FARANDOLE REPRENNE.

BAD SANTA, C'EST ÇA ?! ET TOUJOURS AUCUN TÉMOIN NI INDICE ?!!...

PAS LE MOINDRE... RIEN QUI POURRAIT TE PERMETTRE DE DÉPLOYER TES TALENTS.

ÇA VIENDRA !

TU ES VENU POUR ME VOIR OU POUR VOIR MA MÈRE ?

LES DEUX, AZAMI !

QUEL PLAISIR DE VOUS VOIR ICI TOUS LES DEUX. QU'EST-CE QUE JE PEUX VOUS SERVIR, MES CHÉRIS ?

UN MILKSHAKE POUR MOI.

JE SUIS AUSSI VENU POUR TE METTRE EN GARDE, IL Y A EU À NOUVEAU UNE FILLE VIOLÉE ET ÉGORGÉE CETTE NUIT. BAD SANTA A RECOMMENCÉ À SÉVIR, IL S'ATTAQUE DE PRÉFÉRENCE À DES FILLES DANS LES RUELLES.

À L'ÉCART DU MONDE ET DE LA LUMIÈRE.

JE PENSAIS QU'ON AVAIT TROUVÉ LE COUPABLE ?!

ON A ARRÊTÉ UN PAUVRE DÉBILE QUI SE PRENAIT POUR LE PÈRE NOËL MAIS JE N'Y AI JAMAIS CRU. À MOINS QUE CE SOIT UN ÉMULE QUI S'AMUSE À CALQUER SES CRIMES SUR CEUX DE CE DÉBILE POUR CRÉER LA CONFUSION.

JE T'EN PRIE, ÉVITE DE RENTRER CHEZ TOI EN PASSANT PAR LES ARRIÈRES. JE NE VEUX PAS QU'IL T'ARRIVE QUOI QUE CE SOIT.

PROMIS.

PAUL, JE VOUDRAIS TE MONTRER CE QUE J'AI FAIT.

EH, MAIS C'EST PAS MAL DU TOUT ! ET OÙ AS-TU TROUVÉ CE MOTIF ?

DANS MA TÊTE.

LES TATOUAGES ONT DES SIGNIFICATIONS. C'EST LA RAISON POUR LAQUELLE IL FAUT Y RÉFLÉCHIR FORTEMENT AVANT D'EN FAIRE DES DÉFINITIFS. MOI AUSSI J'AI COMMENCÉ EN LES DESSINANT AVEC DES PASTELS.

MA DEUXIÈME VIE A COMMENCÉ DANS UN TERRITOIRE PEUPLÉ DE GOUVERNANTES SADIQUES ET D'ENFANTS DEVENUS EUX-MÊMES SADIQUES QUI S'ATTAQUAIENT À LEURS COMPAGNONS. ILS FORMAIENT DE PETITS CLANS, SE FAISAIENT APPELER LES "LOUPS-GAROUS", IMITAIENT LE COMPORTEMENT DES VOLEURS ET DES MEURTRIERS DÉTENUS AU GOULAG EN ARBORANT DES TATOUAGES DESSINÉS AU PASTEL.

SI JE SUIS SATISFAIT, TU AURAS MA RATION DE PAIN. ET JE FERAI DE TOI MON TATOUEUR OFFICIEL.

ICI, JE VEUX QUE TU ME DESSINES UNE FLEUR EMPRISONNÉE DANS DU BARBELÉ.

VOILÀ COMMENT J'AI SURVÉCU. C'ÉTAIT MOI LE PRINCIPAL TATOUEUR DE L'ORPHELINAT.
LA GARDIENNE-CHEF S'APPELAIT MASHENKA, UNE SOLIDE FEMME MUSCLÉE COMME UNE LUTTEUSE DE FOIRE. MASHENKA AVAIT SES PRÉFÉRÉS...

"LES ANGES DE MASHA"... S'IL Y AVAIT UN MOYEN DE REVOIR MON PÈRE ET MA MÈRE, C'ÉTAIT DE PASSER PAR CETTE MASHENKA. IL FALLAIT QUE JE DEVIENNE UN DE SES ANGES.

HÉHO ! T'AS PAS FINI !

FAIRE PARTIE DES PRÉFÉRÉS DE MASHA COMPORTAIT UN GROS RISQUE. NOUS SAVIONS TOUS QU'AU BOUT D'UN CERTAIN TEMPS, SES PETITS ANGES DISPARAISSAIENT COMME PAR ENCHANTEMENT.

ET UN SOIR...

C'EST LUI ?

OUI, LAISSEZ-NOUS !

C'EST TOI, PAVEL ?!? ESPÈCE DE PETITE PUTE ! TU CHERCHES QUOI, AU JUSTE ? DÉSHABILLE-TOI !

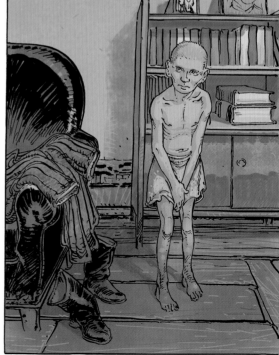

T'ES BIEN TROP MAIGRICHON À MON GOÛT. IL VA FALLOIR TE REMPLUMER, MON OISEAU. VEUX-TU FAIRE PLAISIR À MASHA ?

OUI, PETITE MÈRE.

ALORS, ENFILE-MOI ÇA.

LAISSE-TOI FAIRE.

VOILÀ, AVEC CES COULEURS, TU PARAIS MOINS MALADIF !... LE GÂTEAU, LÀ, SUR LA CHAISE, PRENDS-LE. IL EST POUR TOI.

SANS SON UNIFORME DE GARDIENNE, MASHENKA AVAIT LA FÉMINITÉ ÉMOUVANTE DES DÉESSES PRIMITIVES.

MANGE. C'EST BIEN, MANGE.

SI TU SAIS ME FAIRE PLAISIR, IL Y AURA D'AUTRES GÂTEAUX...

MAINTENANT VIENS, PETIT PAVEL.

VIENS. DONNE UN PEU DE TENDRESSE À MASHA.

JE ME DEMANDAIS SI J'ÉTAIS SON ESCLAVE OU SI ELLE ÉTAIT LA MIENNE. J'ÉTAIS DEVENU SON PETIT ANGE. ELLE M'A ENSEIGNÉ TOUT CE QU'IL Y AVAIT À SAVOIR SUR LE CORPS FÉMININ, À MOI QUI N'AVAIS QUE SEPT ANS.

OH, PAVEL ! TU REVIENS DE CHEZ MASHA ?

OUI.

TU TE TROMPES, PAVEL, MASHENKA EST UNE SALOPE. JAMAIS ELLE NE T'AIDERA À TE FAIRE PÉNÉTRER EN DOUCE DANS LE CAMP. ELLE N'IRA PAS NON PLUS VÉRIFIER SI TES PARENTS SONT ENCORE EN VIE. ELLE S'AMUSE DE TES ESPOIRS, CETTE PUTE.

TES PARENTS SONT DES ZEKS, DES POLITIQUES, ET LES POLITIQUES NE SURVIVENT PAS BIEN LONGTEMPS À LA KOLYMA. S'ILS AVAIENT FAIT PARTIE DE LA CLASSE DES CRIMINELS, ÇA AURAIT ÉTÉ AUTRE CHOSE...

CE SONT EUX LES VRAIS CHEFS. JE VEUX DEVENIR L'UN D'EUX. UN PAKHAN. CE SONT LES PAKHANY QUI DIRIGENT LE CAMP. LES GARDES ET L'ADMINISTRATION SONT DES FANTOCHES.

LES PAKHANY ONT UNE ARMÉE DE SOUS-FIFRES À LEUR BOTTE. ILS ONT POUVOIR DE VIE ET DE MORT SUR TOUS LES DÉTENUS.

S'ILS ONT TANT DE POUVOIR, POURQUOI ILS NE S'ÉVADENT PAS ?

POURQUOI ? MAIS PARCE QUE LEUR VIE EST ICI ! AILLEURS, CE SONT DES BANNIS. ICI, CE SONT DES PRINCES. ILS SONT VRAIMENT NÉS EN ARRIVANT ICI, À LA KOLYMA. C'EST LEUR TERRITOIRE, ILS N'ONT DONC AUCUN INTÉRÊT À S'ÉVADER.

TU PENSES QUE SI JE VEUX SAUVER MON PÈRE ET MA MÈRE, MOI AUSSI, JE DOIS DEVENIR UN CRIMINEL ?

TOI, TU AS DE LA CHANCE, TU DESSINES...

TU PEUX DEVENIR TATOUEUR POUR EUX... MAIS TU DOIS D'ABORD T'ÉCHAPPER DES GRIFFES DE MASHENKA... QUAND ELLE SE SERA LASSÉE DE TOI, ELLE TE VENDRA AUX HYÈNES, CE SONT LES FEMMES CANNIBALES.

PETITE MÈRE ?! DIS-MOI QUI EST LE PAKHAN LE PLUS PUISSANT ?

C... C'EST... K... KIRIL-LA-BALEINE !

ARRÊTE DE
T'INTÉRESSER
AUX ZEKS. CE
SONT DES
MORTS EN
SURSIS.

JE PERFECTIONNAIS MES TALENTS DE DESSINATEUR. LE PAPIER ÉTANT CHOSE RARE, CERTAINES GOUVERNANTES ME PRÊTAIENT LEUR DOS. MES DESSINS ÉPOUSAIENT LES FORMES DE LEUR CORPS ET AVAIENT, ME DISAIENT-ELLES, LA VERTU DE CALMER LEURS DOULEURS.

PAVEL, CE SOIR, DANS MON BUREAU.

BIEN, CAMARADE GARDIENNE-CHEF.

VIENS, MON BÉBÉ. C'EST LE BÉBÉ À SA BABOUCHKA. OUI, C'EST ÇA, DORS, MON BÉBÉ.

HHHH...

ET MERDE ! PUTAIN ! J'EN ÉTAIS SÛR, ELLE EST EN TRAIN D'ÉTOUFFER PAVEL !

ILS M'ONT LAISSÉ À L'INFIRMERIE...

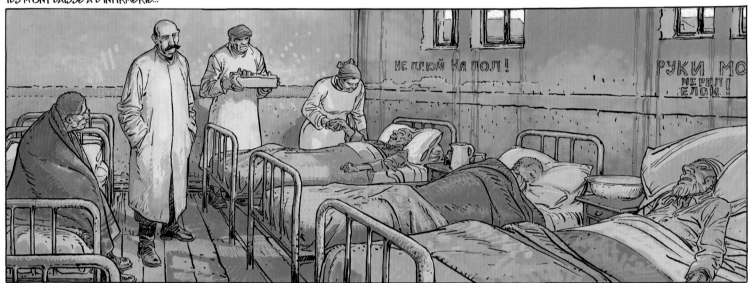

... OÙ J'AI PU ME RÉTABLIR, ET MÊME CONTINUER À EXERCER MA PASSION.

JUSQU'AU JOUR OÙ..

C'EST LUI QUE VOUS CHERCHEZ !

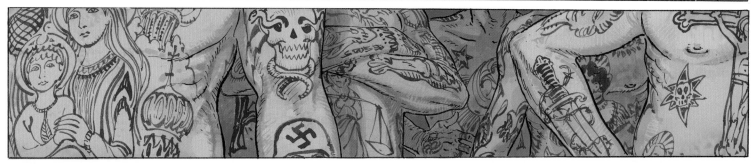

C'EST TOI, PAVEL ?
C'EST TOI L'AVORTON QUI
RÉCLAME UNE AUDIENCE
DEPUIS DES MOIS ?

MA RÉPUTATION AVAIT FINI PAR ATTEINDRE KIRIL-LA-BALEINE.

IMPUDENT ! JE DEVRAIS TE FAIRE BUTER POUR CETTE INSOLENCE, OU TE COUPER LA QUEUE ET L'ENTERRER DANS UN POT DE FLEURS !

MAIS... DE QUOI SUIS-JE COUPABLE ?...

TU T'ES PERMIS DE PEINDRE SUR LE CORPS D'AUTRUI. ICI, C'EST UN BLASPHÈME ! JE POURRAIS TE COUPER LES MAINS POUR ÇA, ESPÈCE DE PETITE MERDE !

LE TATOUAGE EST UN ART. IL EST SACRÉ POUR NOUS. SUR LE TERRITOIRE DE LA KOLYMA, C'EST LUI QUI NOUS AUTHENTIFIE !

MAIS JE N'AI PAS VOULU ENFREINDRE VOS RÈGLES !

C'EST POURTANT CE QUE TU AS FAIT !

PATRON, LAISSEZ-MOI ARRANGER LE PORTRAIT DE CE PETIT INSOLENT !

DU CALME ! CE N'EST QU'UN GOSSE, ET ON N'EMMERDE PAS LES GOSSES !...

... IL NOUS ARRIVE DE LEUR COUPER LA QUEUE, MAIS ON NE LES ZIGOUILLE PAS !... MAIS DIS-MOI, PETIT, AVEC QUOI FAISAIS-TU TES DESSINS ?

JE N'AI JAMAIS UTILISÉ AUTRE CHOSE QUE DES PASTELS.

IL MÉRITE LA MORT ! À MORT ! À MORT ! QU'ON LUI COUPE LA TÊTE !

IDIOTS, CETTE PETITE CREVURE EST PEUT-ÊTRE NOTRE FUTUR MICHEL-ANGE QUI FERAIT UNE CHAPELLE SIXTINE DE VOTRE CUIR !...

ET VOUS BÉNIREZ CET ENFANT DE VOUS AVOIR TRANSFORMÉS EN CHEFS-D'ŒUVRE !

J'AI HUIT ANS, MONSIEUR.

TU PEUX ME JURER QUE TU N'AS JAMAIS UTILISÉ NI LES ENCRES, NI LES AIGUILLES POUR INCRUSTER TES DESSINS SOUS LA PEAU ?

JE VOUS LE JURE, VOUS POUVEZ VÉRIFIER, TOUS SE SONT EFFACÉS.

TU VEUX APPRENDRE LE TATOUAGE, C'EST UNE CHOSE, MAIS ON M'A DIT AUSSI QUE TU CHERCHAIS À ME RENCONTRER POUR UNE AUTRE RAISON ?!

JE VOUDRAIS REVOIR MON PÈRE ET MA MÈRE.

JE ME SUIS RENSEIGNÉ, TON PÈRE EST MORT. IL TRAVAILLAIT DANS LES MINES D'OR.

LA POUSSIÈRE LUI A RONGÉ LES POUMONS. SI JE T'AVAIS CONNU IL Y A UN AN, J'AURAIS PU LE SAUVER.

JE REFUSAIS DE PLEURER DEVANT CES FILS DE PUTE, JE PLEURERAIS PAPA EN SECRET.

ET... MA MÈRE ?

JE NE PEUX PAS LA SAUVER, NI LA RÉCUPÉRER. ELLE APPARTIENT À UN AUTRE PAKHAN...

ELLE FAIT PARTIE DE SON HAREM MAINTENANT. C'EST UNE DE SES ÉPOUSES. ELLE A BIEN JOUÉ, SINON ELLE N'AURAIT JAMAIS QUITTÉ SA CELLULE VIVANTE.

CE PAKHAN SE FAIT APPELER LE COMTE, IL EST TRÈS IMBU DE SA PERSONNE. SI TU DEVIENS UN BON TATOUEUR, JE POURRAI TE LOUER À LUI POUR UNE DEMI-HEURE, ALORS IL FAUDRA SAISIR TA CHANCE.

JE TE PRÉSENTE ANDREÏ, MON MAÎTRE TATOUEUR.

C'EST LUI QUI VA T'APPRENDRE TOUT CE QU'IL SAIT SUR L'ART DE GRAVER SUR LES CORPS.

DEUX FOIS PAR SEMAINE, UN HOMME DE KIRIL VENAIT ME CHERCHER À L'ORPHELINAT À L'HEURE OÙ ON ÉVACUAIT LES MORTS DE LA NUIT.

COMME TU PEUX T'EN DOUTER, JE NE SUIS PAS TRÈS FRIAND DE LIVRER MES SECRETS AU PREMIER VENU. MAIS LES DÉSIRS DE KIRIL SONT DES ORDRES, JE SUIS DONC OBLIGÉ DE M'Y SOUMETTRE...

SI JE NE T'ENSEIGNE PAS, KIRIL M'ÉTRANGLERA, ET SI JE T'ENSEIGNE CE QUE JE SAIS...

... TU ME DÉPASSERAS PEUT-ÊTRE ET JE TOMBERAI EN DISGRÂCE. MALGRÉ TOUT, JE LE FERAI.

MAIS N'ATTENDS DE MOI AUCUNE COMPLAISANCE, JE SERAI IMPITOYABLE !...

PARCE QUE NOTRE ART N'EST PAS FAIT POUR LES MINABLES ! IL TE FAUT ACQUÉRIR LA CONNAISSANCE DE L'ANATOMIE ET LA SENSIBILITÉ DES DOIGTS QUI SAISIT LA VIBRATION DE LA PEAU. LE TATOUAGE EST UNE OPÉRATION MAGIQUE QUI TRANSFORME CELUI QUI LE PORTE.

CES DESSINS NE SONT PAS ASSEZ TRAVAILLÉS, RECOMMENCE-MOI TOUT ÇA.

PROUVE-MOI TON AMOUR DU DESSIN ! SOIS À LA HAUTEUR DE TON AMBITION. SI TU VEUX QUE LE DESSIN SE DONNE À TOI, TU DOIS TE DONNER À LUI SANS RETENUE, COMME UN FORCENÉ !

POUR LE RESTE, IL NE VOULAIT RIEN M'ENSEIGNER D'AUTRE PAR LES MOTS, IL DISAIT : "ON APPREND EN REGARDANT. TOUT EST LÀ. CELUI QUI NE SAIT PAS VOIR NE MÉRITE QUE LE MONDE QUI LUI A ÉTÉ DICTÉ."

40

RÉSULTAT, ON EST LÀ À PATROUILLER À L'AVEUGLETTE COMME DES CONS, ON SILLONNE LE SECTEUR AU PETIT BONHEUR LA CHANCE...

DEMAIN, J'IRAI À LA MORGUE, DES FOIS QUE ÇA ME DONNERAIT DES IDÉES SUR LA PERSONNALITÉ DU TUEUR.

MAINTENANT, ALLONS CHERCHER TA MÈRE !...

JE N'AIME PAS LA SAVOIR RENTRER SEULE PAR LES TEMPS QUI COURENT.

ÇA VA, ELLE N'A PAS ENCORE FINI SON SERVICE.

UNE PETITE MINUTE ET JE SUIS PRÊTE.

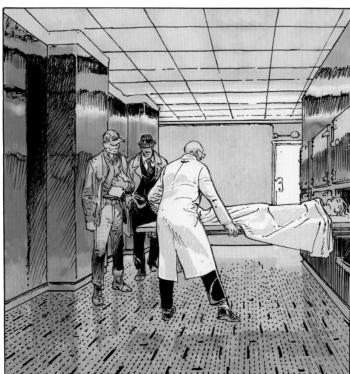

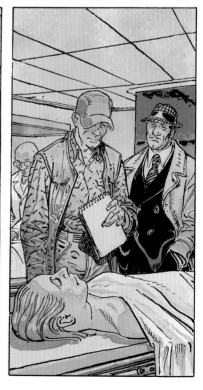

HHMM...

NON, C'EST PAS ÇA, ÇA NE VA PAS !...

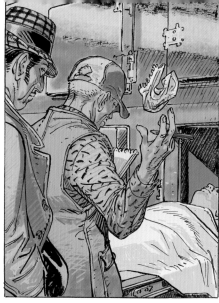

ALORS ?

DÉSOLÉ, JE N'Y ARRIVE PAS. PAS MOYEN DE VISUALISER. C'EST TROP CONFUS, IL Y A QUELQUE CHOSE QUI CLOCHE !...

JE NE SAIS PAS QUOI...

TANT PIS, ON AURA ESSAYÉ EN TOUT CAS.

POURQUOI AS-TU JETÉ CE DESSIN ?... QUAND TU JETTES UN DESSIN, TU DOIS TOUJOURS TE DEMANDER POURQUOI TU LE JETTES.

C'ÉTAIT PAS CE QUE JE VOULAIS, IL Y MANQUE QUELQUE CHOSE.

ET QU'EST-CE QUI MANQUE ?... TU LE SAIS ?... CE QUI MANQUE, C'EST LA PRÉSENCE DU MYSTÈRE ! LE MYSTÈRE QUE NOUS RESSENTONS DANS CHAQUE FORME ET QUE NOUS ESSAYONS DE SAISIR PAR LE DESSIN ET QUI POURTANT SEMBLE NOUS ÉCHAPPER CONSTAMMENT.

MAIS ALORS COMMENT FAIRE POUR SAISIR CETTE PRÉSENCE ?

IL N'Y A PAS DE RECETTE. CETTE INSATISFACTION TE POURSUIVRA TOUTE TA VIE. LE DESSIN EST UN ART QUI CONSISTE À ESSAYER DE DONNER FORME À L'INVISIBLE...

SIMPLEMENT, DESSINE CE QUE TU VOIS ET CE QUE TU RESSENS. AFFRANCHIS-TOI DE CE QUE TU SAIS SI TU VEUX ÉVEILLER CE SENS CACHÉ QUI PERMET DE CERNER L'INVISIBLE. QUAND TU DESSINES, LIBÈRE TON ESPRIT DES ENTRAVES DU SAVOIR.

ANDREÏ ÉTAIT UNE SORTE DE CHAMAN DU DESSIN. NOTRE RELATION GAGNAIT EN INTENSITÉ. JE COMMENÇAIS MON APPRENTISSAGE...

JE M'EXERÇAIS EN TATOUANT DE LA COUENNE DE PORC EN ESPÉRANT QUE CE NE FÛT PAS DE LA PEAU HUMAINE...

ANDREÏ AVAIT UNE GRANDE CONSIDÉRATION POUR SON MAÎTRE. C'EST COMME ÇA QUE J'AI APPRIS QUE KIRIL N'ÉTAIT PAS COMME LES AUTRES PAKHANY.

KIRIL A FAIT PARTIE D'UNE BANDE ORGANISÉE À MOSCOU. MAIS IL A AUSSI ÉTUDIÉ LA PHILOSOPHIE ET LA LITTÉRATURE AVANT DE REJOINDRE LA SECTION DE RENSEIGNEMENT DE L'ARMÉE ROUGE...

COMME UN CERTAIN NOMBRE DE SOLDATS RUSSES QUI AVAIENT ÉTÉ PRISONNIERS DES ALLEMANDS, À SON RETOUR, IL FUT ENVOYÉ DIRECTEMENT AU GOULAG. LÀ, IL NE LUI A PAS FALLU LONGTEMPS POUR DEVENIR LE PAKHAN DES VOLEURS DE MOSCOU. NI CAPRICIEUX, NI CRUEL, IL NE S'ATTAQUAIT JAMAIS AUX JUIFS, MAIS IL TRANSFORMAIT LES PLUS MALINS EN CRIMINELS. IL NE PASSAIT JAMAIS D'ACCORDS AVEC LES KOBLAS, LES GOUINES QUI RÉGNAIENT SUR LA SECTION FÉMININE DU CAMP...

IL NE SE LIVRAIT PAS AU COMMERCE DES FEMMES, NI N'AUTORISAIT SES HOMMES À VIOLER LES PRISONNIÈRES À BORD DES BATEAUX QUI LES TRANSPORTAIENT À MAGADAN. IL NOURRISSAIT LES PLUS FAIBLES ET NE FORÇAIT PAS LES PARIAS À MANGER LES EXCRÉMENTS. DANS LE CAMP, IL Y AVAIT DEUX CATÉGORIES : LES CHELOVEKS ET LES BOUFFONS. LES CHELOVEKS, LES CRIMINELS, ÉTAIENT LES CHEVALIERS DE LA KOLYMA, LES BOUFFONS, TOUS LES AUTRES. KIRIL NE MÉPRISAIT PAS LES BOUFFONS.

JE VIENS CHERCHER LE PETIT. DONNE-LUI LE MATÉRIEL, J'AI UN BOULOT POUR LUI. ON Y VA TOUT DE SUITE !

OÙ ALLONS-NOUS ?

CHEZ LE COMTE, IL A ENTENDU PARLER DE TOI, IL VEUT METTRE TES TALENTS À L'ÉPREUVE.

LE TATOUER ?

OUI, MON PETIT GARS, ET PRENDS BIEN GARDE À NE PAS ME DÉCEVOIR. SI TU ME FAIS HONTE, JE SERAI OBLIGÉ DE BOUFFER LA MERDE DU COMTE ET D'EFFACER LA MOITIÉ DE MES TATOUAGES AVEC DU PAPIER DE VERRE.

POURQUOI ON L'APPELLE LE COMTE ?

DEPUIS QUE JE LUI AI RACONTÉ L'HISTOIRE DU COMTE DE MONTE-CRISTO, IL SE PREND POUR LUI. ÇA LUI PERMET DE DISSIMULER LA CRUAUTÉ DE SES ACTES DERRIÈRE LE VOILE DE LA VENGEANCE LÉGITIMÉE PAR L'INJUSTICE.

KIRIL, MON AMI, APPROCHE. C'EST UN GRAND PLAISIR DE TE VOIR.

C'EST LUI, TON PROTÉGÉ? TON PETIT MOZART DES AIGUILLES?

C'EST BIEN LUI!

EH, PETIT, MONTRE-MOI SI TU SAIS ME REPRODUIRE CETTE GRAVURE.

Monte-Cristo

EN ME LA TATOUANT ICI!

ALLEZ, AU BOULOT!...

ALORS, ÇA Y EST?

OUI.

EH BIEN, LE COMTE, QU'EST-CE QUE TU EN PENSES ?

DANS MES BRAS, PETIT GÉNIE !

JE VAIS FAIRE DE TOI MON TATOUEUR ATTITRÉ !!

EVGUENIA, DONNE DONC UN PEU À MANGER À CE PETIT, IL L'A BIEN MÉRITÉ. JE DOIS DISCUTER AFFAIRES AVEC MON AMI KIRIL PENDANT CE TEMPS.

ELLE ME LAISSA SEUL. JE SAVAIS QUE C'ÉTAIT LA CHANCE QUE M'AVAIT PRÉDITE KIRIL... IL NE FALLAIT PAS LA LAISSER PASSER.

C'EST TOI, LA FEMME DU COMTE, PETITE SOEUR ?

NON, LE COMTE A BEAUCOUP DE FEMMES.

JE SUIS SEULEMENT L'UNE D'ENTRE ELLES. NOUS VIVONS DANS L'AUTRE BARAQUE, LÀ, AU FOND DU COULOIR. NOUS SOMMES LE BON PLAISIR DU COMTE.

PAUL !

MAMAN !

MON CHÉRI.

MON AMOUR.

TU M'AS RETROUVÉE, MON CHÉRI. MAIS COMMENT AS-TU FAIT POUR ARRIVER JUSQU'ICI ?!?...

JE SUIS DEVENU TATOUEUR. C'EST KIRIL-LA-BALEINE QUI M'A AMENÉ ICI. JE FAIS PARTIE DE SA BANDE. IL ME PROTÈGE. TU NE DOIS PAS T'INQUIÉTER POUR MOI.

NE DEVIENS PAS COMME EUX, MON FILS. ILS SONT COMME DES BÊTES. PROMETS-MOI DE NE PAS DEVENIR UN CRIMINEL.

PROMETS!

JE TE LE PROMETS.

TU NE PEUX PAS SAVOIR COMBIEN J'AI PRIÉ POUR TE REVOIR. JE N'AI PAS EU D'AUTRE DÉSIR QUE CELUI DE CET INSTANT. JUSTE CET INSTANT.

MAIS JE NE VEUX PLUS QUE TU REVIENNES ICI. TU NE DOIS PAS, C'EST TROP DANGEREUX. TU ENTENDS ? CE N'EST PAS TA PLACE. JE NE VEUX PLUS QUE TU ME VOIES COMME ÇA !

JE REVIENDRAI ET JE TE SAUVERAI. JE T'EMMÈNERAI LOIN D'ICI, TU VERRAS.

VA-T'EN !

VA...

TE SAVOIR EN VIE ME SUFFIT.

TU AS PU VOIR TA MÈRE.

LE COMTE VEUT T'ACHETER. IL PROPOSE CHER. MAIS J'AI REFUSÉ. POURTANT SON OFFRE ÉTAIT ALLÉCHANTE. IL N'AIME PAS QU'ON LUI RÉSISTE.

S'IL AVAIT SU QUE TA MÈRE FAISAIT PARTIE DE SON HAREM, IL N'AURAIT PAS HÉSITÉ À L'UTILISER EN MONNAIE D'ÉCHANGE...

IL NE FAUDRAIT PAS QU'IL S'EN RENDE COMPTE.

LE COMTE NE FAIT PAS DANS LA DEMI-MESURE. LUI ET SES HOMMES SONT ORIGINAIRES DE KIEV : DES UKRAINIENS BRUTAUX. LEUR PERFIDIE ET LEUR CRUAUTÉ N'ONT PAS DE LIMITE.

MOI, IL ME RESPECTE CAR IL SAIT QUE JE PEUX HISSER MA CRUAUTÉ À LA HAUTEUR DE LA SIENNE...

ESPÉRONS QUE LES FEMMES DE SON HAREM SAURONT TENIR LEUR LANGUE.

J'ÉTAIS DEVENU LE TATOUEUR OFFICIEL DE KIRIL. MA RÉPUTATION D'ARTISTE S'ÉTAIT ÉTENDUE AUX AUTRES CAMPS. DES PAKHANY DÉBARQUAIENT DE TOUTE LA KOLYMA. CE QUI RAPPORTAIT UN JOLI PACTOLE À KIRIL...

OH, PAVEL !

MISHKA !

JE SAVAIS QUE TU RÉUSSIRAIS.

C'ÉTAIT MISHKA, AVEC SA TÊTE DE FOUINE. IL AVAIT GRANDI, LUI AUSSI. IL ÉTAIT DEVENU UN URKA.

ET MOI, GRÂCE À TOI, JE SUIS UN VRAI URKA MAINTENANT.

EH, MAIS QUI T'A GRAVÉ CETTE MERDE ? C'EST TOTALEMENT RATÉ !

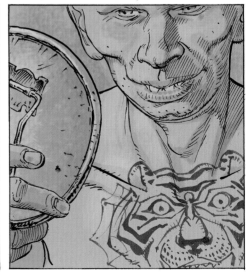

JE SAIS. JE ME SUIS FAIT FAIRE ÇA UN SOIR OÙ J'ÉTAIS COMPLÈTEMENT SAOUL.

LAISSE, JE VAIS ARRANGER ÇA.

JE ME SENS DANS LA PEAU D'UN TIGRE, MAINTENANT !... VIENS, JE VAIS TE MONTRER CE QUE J'AI DÉCOUVERT...

OÙ TU M'EMMÈNES COMME ÇA ?

LA VOIE EST LIBRE, VIENS !

MAIS C'EST QUOI, CET ENDROIT ?

TU LE VOIS BIEN, C'EST UN BORDEL POUR LES OFFICIERS.

CHUT, ON VIENT !

PLANQUONS-NOUS !

EH, TOI ! QU'EST-CE QUE TU FAIS DANS CE TROU À RATS ? TU ES UN ESPION ?

NON, JE SUIS À L'ORPHELINAT ET JE FAIS DES TATOUAGES.

TU SENS L'ORPHELINAT, C'EST SÛR. TU ES RÉPUGNANT...

QU'EST-CE QUE TU VIENS TATOUER ICI ? DIS PLUTÔT QUE TU ES VENU TE RINCER L'ŒIL...

JE M'APPELLE NADYA, COMME LA DEUXIÈME FEMME DE STALINE. CELLE QUI S'EST SUICIDÉE. J'AI UN GRAND AVENIR.

ICI, C'EST QUOI ? UN HÔTEL DE LUXE ?...

TIENS, GOÛTE, C'EST BON. C'EST DU CHAMPAGNE.

ICI, C'EST UN CAMP D'ENTRAÎNEMENT. ON EST DES ÉLUES. LES MOCHES ONT ÉTÉ ÉCARTÉES OU TUÉES DANS LA NEIGE À COUPS DE MATRAQUE...

NOUS, ON NOUS BICHONNE.

POUR QUOI FAIRE ?

DES PROSTITUTKAS. JE VAIS TE MONTRER. MAIS APRÈS, TU DOIS PARTIR. ET NE REVIENS JAMAIS PLUS.

À CE MOMENT-LÀ, JE PRIS CONSCIENCE QUE JE NE SAVAIS RIEN DES FEMMES. QUE TOUT LE TEMPS PASSÉ AVEC MASHENKA NE M'AVAIT APPRIS QUE DE MÉDIOCRES ACROBATIES. J'ÉTAIS AMOUREUX DE CETTE JEUNE APPARITION...

KIRIL, MON AMI !

SOIS HEUREUX, KIRIL. LE COMTE VIENT TE FAIRE UNE PETITE VISITE DE COURTOISIE.

AH OUI, JE DEVRAIS ME SENTIR FLATTÉ DE TE VOIR T'AVENTURER SUR MON TERRITOIRE SANS Y AVOIR ÉTÉ INVITÉ.

MAIS COMME TU SAIS, J'AI TROP LE SENS DE L'HOSPITALITÉ POUR ME FROISSER !...

DIS-MOI PLUTÔT QUELLE EST LA VRAIE RAISON QUI T'AMÈNE.

DA, KIRIL. HA, HA ! TU ME CONNAIS BIEN. J'AI UNE PROPOSITION À TE FAIRE.

JE DOUBLE L'OFFRE QUE JE T'AI FAITE. ALORS TU ME LE VENDS, TON PETIT TATOUEUR ? C'EST UN BON PRIX, NON ?

CE N'EST PAS MOI QUI DÉCIDE POUR PAVEL. IL EST LIBRE. DEMANDE-LE-LUI. QUEL QUE SOIT LE PRIX, C'EST LUI QUI CHOISIT.

JE RESTE ICI !

TU ES BIEN SÛR ?...

C'EST TON DERNIER MOT, PETIT ? TU ES SÛR DE NE PAS LE REGRETTER QUELLES QUE SOIENT LES CONSÉQUENCES ?

OUI !

ON VA VOIR ÇA.

53

AMENEZ-LA !

MAMAN !!

NON !

OH NON... MAMAN... MAMAN...

UNE MÈRE, ON N'EN A QU'UNE. C'EST DOMMAGE DE LA PERDRE AUSSI BÊTEMENT !

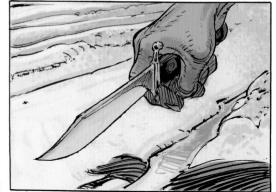

QU'EST-CE QU'ON FAIT, KIRIL, ON LES LAISSE PARTIR ?!?

OUI ! ON NE BOUGE PAS. ON NE DÉCLENCHE PAS LA GUERRE. PAS COMME ÇA !...

EH BEN MOI, SI !

NON, PAVEL, PAS ÇA !

PORTONS-LE À L'INTÉRIEUR, VITE !

PARDON, ANDREÏ, JE NE VOULAIS PAS !...

JE SAIS, MAIS IL FALLAIT T'EMPÊCHER DE COMMETTRE L'IRRÉPARABLE. ON NE TOUCHE PAS À UN PAKHAN !... TU AURAIS DÉCLENCHÉ UNE GUERRE...

TU NE M'AS PAS TUÉ... NOUS AVONS COMMIS TON PREMIER CRIME ENSEMBLE... KIRIL PEUT MAINTENANT T'INTRONISER... JE N'AI PLUS RIEN À T'APPRENDRE... JE N'AURAIS JAMAIS RÊVÉ MEILLEUR ÉLÈVE QUE TOI !...

LE MÊME JOUR, J'AI PERDU MA MÈRE ET MON MAÎTRE...   ET J'ALLAIS DEVENIR UN VRAI URKA LE JOUR OÙ ON LES ENTERRA TOUS LES DEUX.

PAVEL, LA KOLYMA EST TA TOMBE, ET CE JOUR VOIT TON EXISTENCE ANCIENNE S'ACHEVER POUR NAÎTRE AU ROYAUME DE CEUX QUI SONT DÉJÀ MORTS...

DEBOUT, PAVEL, LÈVE-TOI !... DÉSORMAIS, TU ES UN CHELOVEK, UN CHEVALIER QUI CHEVAUCHE AU CŒUR DES TÉNÈBRES.

LE MOMENT EST VENU D'EXÉCUTER TON PREMIER TATOUAGE.

IL EST LA MARQUE DE TON ENTRÉE DANS NOTRE MONDE.

MAIS AVANT ÇA, JE TE DOIS LA VÉRITÉ. JE T'AI MENTI. TON PÈRE N'EST PAS MORT DANS LES MINES D'OR, MAIS EN TENTANT DE S'ÉVADER...

ET COMME TU SAIS, QUAND ILS SONT RATTRAPÉS, LES GARDES LES FUSILLENT. ET POUR NE PAS AVOIR À RAMENER LES CORPS, ILS TRANCHENT LES MAINS. J'AI PU RÉCUPÉRER CELLE DE TON PÈRE...

POUR QUE TU PUISSES, SI TU LE DÉSIRES, GRAVER TON TATOUAGE DE SA MAIN.

VOICI L'ENCRE QUI CONTIENT LE SANG DE TON MAÎTRE ANDREI. IL TENAIT À CE QUE SON SANG SE MÊLE AU TIEN...

ET CECI EST LE DESSIN QUI SYMBOLISE TOUT NOUVEL INITIÉ À NOS MYSTÈRES.

C'EST AINSI QUE JE M'APPLIQUAI POUR LA PREMIÈRE FOIS UN TATOUAGE À MOI-MÊME.

BIENVENUE DANS NOTRE CLAN, PETITE TULIPE !

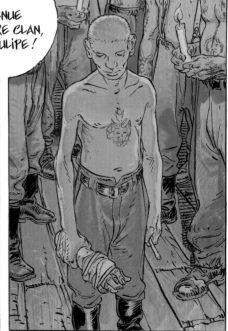

SI TU FAIS TOUJOURS L'AMOUR DANS LE NOIR, C'EST POUR QUE JE NE PUISSE PAS VOIR TES TATOUAGES, NON ?!

HIER, DEUX TYPES SONT VENUS AU RESTAURANT. ILS PORTAIENT DES TATOUAGES UN PEU COMME LES TIENS...

ILS N'ONT PAS ARRÊTÉ DE ME DRAGUER. ILS VOULAIENT QUE J'AILLE BOIRE UN VERRE AVEC EUX, DANS LEUR BAR, LE "LITTLE KIEV". J'AI REFUSÉ ET ÇA LES A MIS DANS UN ÉTAT !

ILS M'ONT MENACÉE AVEC UN DE CES ACCENTS RUSSES !

DES UKRAINIENS, PEUT-ÊTRE. ILS DOIVENT VENIR DU LOWER EAST SIDE. ILS ONT MAUVAISE RÉPUTATION, MÉFIE-TOI. ILS POURRAIENT REVENIR !

HEY, PAUL !

CHEF, JE VOUDRAIS VOUS SOUMETTRE UNE PETITE IDÉE QUI ME TRAVAILLE DEPUIS UN MOMENT.

OUI, VAS-Y.

JE CROIS AVOIR COMPRIS POURQUOI JE N'ARRIVE PAS À VISUALISER LE VISAGE DE L'ÉGORGEUR. POUR MOI, IL N'Y A PAS UN SEUL BAD SANTA.

ILS SONT PLUSIEURS ET ILS UTILISENT LE MÊME DÉGUISEMENT. C'EST LA SEULE HYPOTHÈSE QUI TIENNE LE COUP.

MOUAIS... POURTANT LA MANIÈRE DE PROCÉDER EST EXACTEMENT LA MÊME D'UN MEURTRE À L'AUTRE. J'AI PEINE À CROIRE QU'ILS PUISSENT AVOIR LA MÊME FAÇON DE TRANCHER LA GORGE.

BIEN SÛR, JE PEUX ME TROMPER. MAIS C'EST LA SEULE EXPLICATION QUI ME PERMETTE DE COMPRENDRE POURQUOI JE NE PERÇOIS QUE DES IMAGES CONFUSES.

QUEL DRÔLE DE BONHOMME !... ET S'IL AVAIT RAISON ?!?

HEY, PAUL ?!

AZAMI !

MAIS QU'EST-CE QUE TU FAIS LÀ, TOI ? TU M'AS SUIVI ? TU M'ESPIONNES ?

NON, JE VEILLE SUR TOI.

MAIS TOI, QU'EST-CE QUE TU CHERCHES PAR ICI ?

DE LA NOSTALGIE, SANS DOUTE.

UN DÉSIR IRRÉSISTIBLE ME POUSSAIT À RETROUVER LA CRÉATURE QUI M'AVAIT EMBRASÉ LE COEUR ET QUI OBSÉDAIT MES RÊVES...

HO, CAMARADE, TU N'AS RIEN À FAIRE ICI !

TU VENAIS DANS L'ESPOIR DE RELUQUER LES PETITES PUTES ? EH BIEN, C'EST TROP TARD. ELLES SONT PARTIES ON NE SAIT OÙ.

PAR AILLEURS, LA GUERRE NE S'ÉTAIT PAS DÉCLARÉE OUVERTEMENT ENTRE LE CLAN DU COMTE ET CELUI DE KIRIL MAIS AVAIT PRIS DES ALLURES DE RÈGLEMENT DE COMPTES EN COMBATS SINGULIERS. LE CHAMPION DE CHAQUE CLAN AFFRONTAIT L'AUTRE LES YEUX BANDÉS DANS UNE JOUTE AU COUTEAU QU'ON APPELAIT LE "TANGO JAPONAIS".

MAIS LES CHAMPIONS DE KIRIL ESSUYAIENT RÉGULIÈREMENT D'HUMILIANTES DÉFAITES.

TON PETIT TATOUEUR A L'AIR DE PAS TROP MAL SE DÉBROUILLER. IL EST AUSSI HABILE À LA BAGARRE QU'AVEC SES CRAYONS. NOUS DEVRIONS LE TESTER, TU NE CROIS PAS ?

C'EST COMME ÇA QUE JE SUIS DEVENU LE NOUVEAU DANSEUR DE TANGO DU CLAN DE KIRIL.

À L'ÂGE DE 17 ANS, J'ÉTAIS DEVENU UN VRAI LOUP. SAUVAGE, MINCE ET FORT COMME UNE LAME DE COUTEAU.

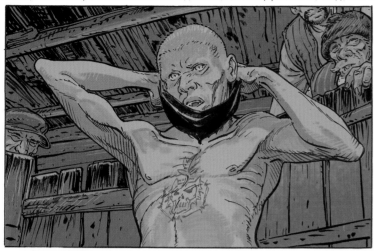

BRAVO "PETITE TULIPE", TU T'ES BIEN BATTU. C'ÉTAIT SANS BAVURE. JE SUIS FIER DE TOI. TIENS, COUVRE-TOI.

JE TE PRÉVIENS, LE PROCHAIN DANSEUR DE TANGO QUE TU AURAS À AFFRONTER, C'EST CELUI QUE LE COMTE CONSIDÈRE COMME SON BOURREAU...

ON LE SURNOMME GRIGOR "GROSSES BURNES". IL A GAGNÉ COMBAT SUR COMBAT SANS LA MOINDRE ÉGRATIGNURE. C'EST UN SACRÉ CLIENT. TU T'EN SENS CAPABLE ?

HM... OUI !

LE COMBAT ÉTAIT ATTENDU. LE THÉÂTRE DU CAMP AVAIT ÉTÉ MOBILISÉ ET CETTE ENFLURE DE COMTE AVAIT MÊME INVITÉ LE COMMANDANT DU CAMP AU SPECTACLE...

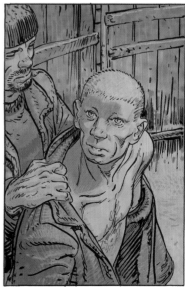

GRIGOR "GROSSES BURNES" NE SEMBLAIT PAS USURPER SA RÉPUTATION.

ALORS, C'EST TOI, "PETITE TULIPE" ?! MAIS TU ES MIGNON COMME UN COEUR. QUELLE TRISTESSE DE DEVOIR BRISER LES AILES D'UN SI BEL ANGE...

JE VAIS T'ÉPIN-GLER COMME UN PAPILLON, MON COEUR...

ET TU ME SUCERAS MA TULIPE À MOI. TU VERRAS, C'EST UN VÉRITABLE DÉLICE.

"GROSSES BURNES" NE BRILLAIT PAS PAR SA SUBTILITÉ. JE RASSEMBLAIS TOUTE MON AGILITÉ POUR ESQUIVER LES COUPS DE LAME EN ME SERVANT DU MOINDRE FROISSEMENT OU BRUISSEMENT D'AIR. JE DESSINAIS LES MOUVEMENTS DE MON ADVERSAIRE...

LA STRATÉGIE DE "GROSSES BURNES" ÉTAIT DES PLUS SIMPLES. IL BALANÇAIT SON COUTEAU PAR GRANDS MOULINETS DANS TOUS LES SENS, COMPTANT SUR LA CHANCE...

UN DE SES MOULINETS HASARDEUX AVAIT TRANCHÉ MON BANDEAU JUSTE ASSEZ POUR QUE JE PUISSE SAISIR SA POSITION.

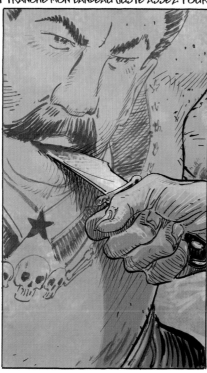

NOUS ÉTIONS LE 5 MARS 1953, NOUS ALLIONS APPRENDRE LE LENDEMAIN QUE STALINE ÉTAIT MORT ÉTRANGEMENT AU MÊME MOMENT.

BRAVO, CHAMPION, REPOSE-TOI UN PEU. NOUS ALLONS NOUS OCCUPER DE TE TROUVER DE QUOI SOIGNER CETTE BLESSURE.

OH, PARDON ! JE CHERCHAIS LES TOILETTES !

TU T'APPELLES NADYA, NON ?!?

OUI, MAIS COMMENT TU...? ET TOI, TU SERAIS... NON ! LE PETIT TATOUEUR DE L'ORPHELINAT !...

C'EST MON PETIT TATOUEUR. MON PETIT AMOUREUX !

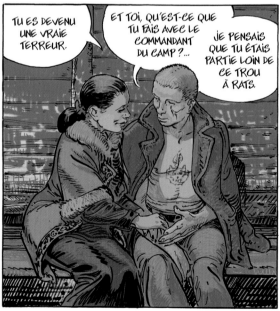

TU ES DEVENU UNE VRAIE TERREUR.

ET TOI, QU'EST-CE QUE TU FAIS AVEC LE COMMANDANT DU CAMP ?...

JE PENSAIS QUE TU ÉTAIS PARTIE LOIN DE CE TROU À RATS.

JE N'AI PAS EU DE CHANCE. CE BON À RIEN DE COMMANDANT EST TOMBÉ AMOUREUX DE MOI. VOILÀ POURQUOI JE SUIS CLOUÉE ICI ALORS QUE LA PLUPART DES AUTRES FILLES ONT ÉTÉ TRANSFÉRÉES À LÉNINGRAD.

SI TU VEUX, JE LUI TRANCHE LA GORGE ET ON N'EN PARLE PLUS !...

DEPUIS QUE JE T'AI VUE LA PREMIÈRE FOIS, JE... JE N'AI PAS CESSÉ DE PENSER À TOI. TU M'AS ENFLAMMÉ LE COEUR.

TU ES MIGNON. MAIS SURTOUT, NE TOUCHE PAS À MON COMMANDANT. IL EST MA GARANTIE DE SURVIE.

EH ! TU ES BLESSÉ, LÀ !

LAISSE-MOI MAINTENANT. JE DOIS RETROUVER MON FICHU COMMANDANT AVANT QU'IL NE S'INQUIÈTE. IL EST JALOUX COMME UN POU.

NE CHERCHE PAS À ME REVOIR. C'EST DANGEREUX.

C'EST TOI, PAVEL ?

OUI.

C'EST DE LA PART DU COMMANDANT POUR T'APPRENDRE À NE PAS T'AMUSER AVEC SES JOUETS !

EH, JOE ! YOKO EST DÉJÀ PARTIE ?

OUI, IL Y A CINQ BONNES MINUTES. ELLE EST PASSÉE PAR-DERRIÈRE.

!! JE LUI AVAIS POURTANT BIEN DIT ! JE VAIS LA RATTRAPER. 'SOIR, JOE !

YOKO ?!?

BAD SANTA !!

OH, MON DIEU ! YOKO !

QU'EST-CE QUE TU CROIS ?
M'AVOIR DANS LE NOIR ?!
C'EST DANS L'OBSCURITÉ
QUE JE SUIS LE PLUS À L'AISE,
CONNARD !

JE VAIS ENFIN
VOIR À QUOI TU
RESSEMBLES,
ESPÈCE DE
SALOPERIE !

MISHKA !

C'EST TOI,
MISHKA ?

71

QU'EST-CE QUI SE PASSE ? ON DIT QUE VOUS AURIEZ MIS LA MAIN SUR CE FAMEUX ÉGORGEUR DE "BAD SANTA" ?

C'EST ENCORE TROP TÔT POUR LE DIRE. TOUT CE QU'ON SAIT, C'EST QU'ON A RAMASSÉ UN TYPE TOMBÉ D'UN TOIT.

VOUS ME LE RAMENEZ À LA VIE, CE GAILLARD, J'EN AI BESOIN ! JE VEUX SAVOIR CE QUI S'EST PASSÉ LÀ-HAUT.

COMPTEZ SUR NOUS. ON VA TOUT FAIRE POUR.

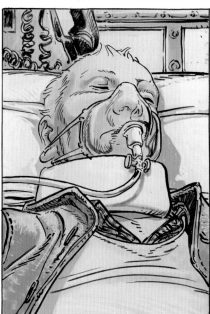

EH BEN, PAVEL, T'EN AS PRIS DU TEMPS POUR REVENIR PARMI NOUS.

ILS T'ONT SALEMENT AMOCHÉ, LES SBIRES DU COMMANDANT. ON A FAIT CE QU'ON A PU POUR TE GARDER TA GRÂCE ET TA BEAUTÉ, MAIS POUR TON NEZ CASSÉ, ON N'A RIEN PU FAIRE. FAUDRA T'EN CONTENTER...

73

JE DOIS ADMETTRE QUE CE PORTRAIT EST PLUTÔT RESSEMBLANT, MAIS TON ATTIRANCE POUR CETTE POULICHE T'A FOURRÉ DANS UN SACRÉ BOURBIER...

MAINTENANT, CHELOVEK, C'EN EST UNE QU'IL VA FALLOIR OUBLIER.

ELLE EST PARTIE VIVRE AVEC LES DIEUX.

COMMENT ÇA ? SON COMMANDANT L'A EMMENÉE À MOSCOU ?

JE NE SAIS PAS, MAIS TON OISEAU S'EST BEL ET BIEN ENVOLÉ.

OUBLIER NADYA, COMMENT ÇA POUVAIT ÊTRE POSSIBLE ?

PAVEL, KIRIL VEUT TE VOIR, SUIS-MOI !

QU'EST-CE QUI SE PASSE ?

REGARDE !

CE SONT CES GAMINS QUI L'ONT TROUVÉE EN S'AMUSANT AVEC LE CHIEN.

VA SAVOIR DEPUIS COMBIEN DE TEMPS ELLE DORT LÀ ? ELLE A ÉTÉ BATTUE, VIOLÉE SANS DOUTE, ET ÉGORGÉE. PUIS ILS L'ONT ABANDONNÉE DANS LA GLACE...

JE VOULAIS QUE TU LA VOIES, SINON TU AURAIS CONTINUÉ À ESPÉRER LA RETROUVER.

QUI A FAIT ÇA ?

LE COMTE ET SES ÉGORGEURS. LA POLICE DU CAMP L'A PAYÉ POUR FAIRE ÇA, MOI JE N'AURAIS JAMAIS ACCEPTÉ CE GENRE DE BOULOT.

74

COMBIEN DE TEMPS ENCORE ON VA LAISSER CETTE ORDURE FAIRE SA LOI ?

PAVEL !

NE FAIS PAS ÇA, PAVEL ! REVIENS, TU NE PEUX PAS LA VENGER COMME ÇA !

ET VOUS, QU'EST-CE QUE VOUS AVEZ À RESTER PLANTÉS LÀ, RATTRAPEZ-LE !

PETIT CON, SI TU ENFREINS NOS RÈGLES, JE VAIS ÊTRE OBLIGÉ DE TE BANNIR, TU ENTENDS ?!!

75

JE VAIS TE CREVER, LE COMTE !

À L'AIDE, MES FRÈRES ! STOPPEZ-MOI CE FOU FURIEUX !

ARRÊTE, ARRÊTE ! PAVEL !

NOUS SOMMES VRAIMENT DÉSOLÉS, LE COMTE, D'AVOIR PERTURBÉ TON REPAS. MAIS NE T'INQUIÈTE PAS, NOUS ALLONS NOUS-MÊMES LUI DONNER LA LEÇON QU'IL MÉRITE.

UN JOUR, JE TE TUERAI, LE COMTE ! JE TE LE JURE !

DITES À KIRIL QU'IL DEVRAIT FAIRE ATTENTION À MIEUX CONTRÔLER SES HOMMES S'IL NE VEUT PAS PROVOQUER LA GUERRE !

PETITE TULIPE, CE QUE JE VAIS DEVOIR FAIRE, JE NE LE FERAI PAS DE GAIETÉ DE COEUR. MAIS LA RÈGLE EST LA RÈGLE !...

NOUS T'AVONS DONNÉ LA VIE ET LA MORT, MAINTENANT NOUS TE DONNONS LE NÉANT...

TU N'EXISTES PLUS, JAMAIS PLUS TU NE DEVRAS T'APPROCHER DE MOI OU DE L'UN D'ENTRE NOUS. C'EST LA DERNIÈRE FOIS QUE NOS MAINS SE TOUCHENT OU QUE TES MAINS ENTRENT EN CONTACT AVEC LES NÔTRES...

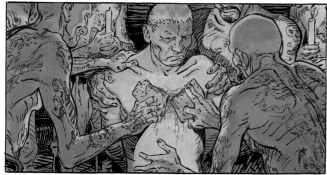

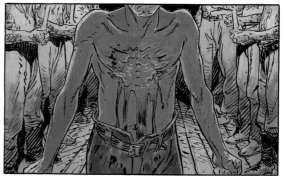

AVEC DU PAPIER DE VERRE, ILS ONT EFFACÉ MES TATOUAGES...

J'ÉTAIS DÉSORMAIS UN LOUP SOLITAIRE...

ILS AVAIENT FAIT DE MOI UN INVISIBLE.

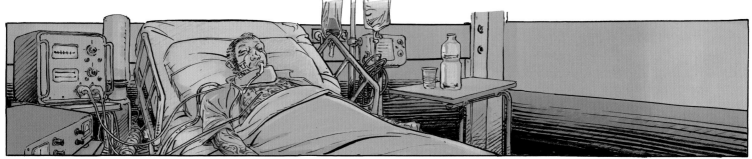

NE MEURS PAS, PAUL. ILS ONT TUÉ MA MÈRE. TU ES TOUT CE QUI ME RESTE.

JE T'EN SUPPLIE, RESTE EN VIE.

TU AS VU LES ASSASSINS DE MA MÈRE, JE DOIS SAVOIR QUI ILS SONT. JE VEUX LA VENGER !...

TOUS CES TATOUAGES, TON CORPS EN EST COUVERT! QU'EST-CE QU'ILS RACONTENT?

ICI, CE DOIT ÊTRE LE PORTRAIT DE TON PÈRE...

ET SUR L'AUTRE ÉPAULE, CELUI DE TA MÈRE...

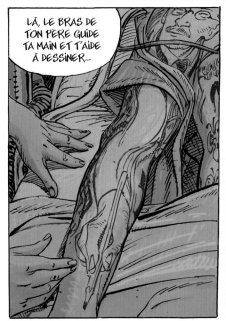

LÀ, LE BRAS DE TON PÈRE GUIDE TA MAIN ET T'AIDE À DESSINER...

ET C'EST TA MÈRE QUI T'INSPIRE ET QUI CUEILLE AVEC TOI LES ROSES DE LA POÉSIE POUR EMBELLIR LA VIE...

JE COMPRENDS MAINTENANT POURQUOI TU CACHAIS TES TATOUAGES AVEC AUTANT DE PUDEUR...

C'EST TOUTE TA VIE QUI EST GRAVÉE DANS TA CHAIR. ET CE LOUP QUI HURLE, C'EST TOI.

ON TE VISITE COMME UN MUSÉE INTERDIT... NEW YORK ET SA STATUE DE LA LIBERTÉ DOMINENT LE CAMP DU GOULAG...

ET CETTE JEUNE FILLE, QUI EST-ELLE? ELLE COURONNE MOSCOU OU SAINT-PÉTERSBOURG?

NON, N'Y TOUCHE PAS, C'EST TROP FRAGILE. TU POURRAIS FROISSER SES AILES. LAISSE-LE.

QUI ES-TU ?

JE M'APPELLE PAVEL.

PUISQUE TU VEUX TROUVER LES ASSASSINS DE TA MÈRE, JE PEUX TE MENER À EUX...

CE SONT EUX AUSSI QUI ONT ÉGORGÉ MA MÈRE, JE LES AI RETROUVÉS.

SUIS-MOI !

MAIS AVANT, ON DOIT S'EMPARER DU REVOLVER DU POLICIER QUI EST EN FACTION. TU SAURAIS LUI PRENDRE SANS LE RÉVEILLER ?

JE VAIS ESSAYER.

LÀ OÙ NOUS ALLONS, NOUS EN AURONS BESOIN.

C'EST LÀ À TOI DE JOUER. LES TUEURS SONT AU FOND DU BAR. LEUR CHEF EST AVEC EUX. IL SE FAIT APPELER « LE COMTE », TU NE PEUX PAS LE RATER !

79

QU'EST-CE QUE TU FICHES ICI, PETITE ? C'EST PAS UN ENDROIT POUR UNE GAMINE.

JE VIENS VOIR LE COMTE.

RIEN QUE ÇA !... VA VOIR AU BAR, ON TE DIRA. MAIS ÇA M'ÉTONNERAIT QUE CE SOIT L'HEURE DES AUDIENCES.

HÉ, TOI AU MOINS, TU NE MANQUES PAS D'AIR !

LE COMTE N'AIME PAS ÊTRE DÉRANGÉ QUAND IL JOUE AUX CARTES, MAIS SI TU ME CERTIFIES QUE TU AS RENDEZ-VOUS, ALORS C'EST AUTRE CHOSE !

BIEN SÛR, MÊME QU'IL NE VA PAS REGRETTER DE ME VOIR !

MISHKA, ACCOMPAGNE LA GAMINE AUPRÈS DU COMTE !

JE NE SAVAIS PAS QUE LE COMTE DONNAIT DANS LA PETITE PISSEUSE À PRÉSENT !

LE COMTE, UNE VISITE POUR TOI !

QU'EST-CE QUE ÇA VIENT FOUTRE LÀ, ÇA ?!! J'ESPÈRE QUE T'AS UNE BONNE RAISON POUR VENIR M'EMMERDER ?!

PEUT-ÊTRE QUE TU NE LE SAIS PAS, MAIS NOUS SOMMES EN AFFAIRES, TOI ET MOI. TU AS UNE DETTE ENVERS MOI.

QU'EST-CE QUE TU ME DÉBITES LÀ, CONNASSE ! J'AI RIEN À VOIR AVEC TOI !

TES PÈRES NOËL ONT JUSTE VIOLÉ ET ÉGORGÉ MA MÈRE ! J'ATTENDS UNE COMPENSATION !

TA VIE !

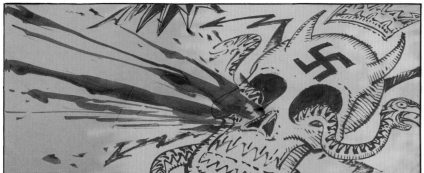

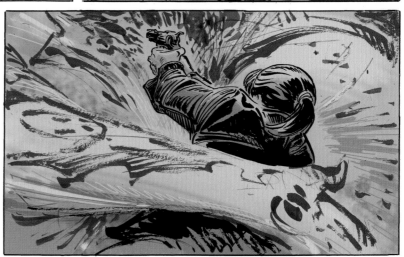

81

 C'EST QUOI, TOUT CE BORDEL ?!!

 PAUL, ÇA Y EST, J'AI FAIT CE QU'IL FALLAIT.

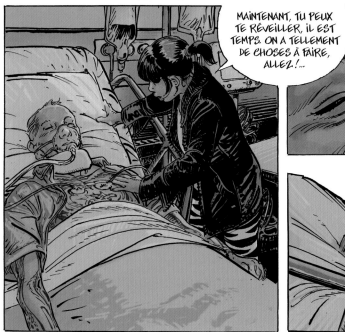 MAINTENANT, TU PEUX TE RÉVEILLER, IL EST TEMPS. ON A TELLEMENT DE CHOSES À FAIRE, ALLEZ !...

 RÉVEILLE-TOI !

ENFIN, TU TE DÉCIDES À TE RÉVEILLER ! TU PEUX DIRE QUE TU NOUS AS FOUTU UNE SACRÉE FROUSSE. ON PENSAIT BIEN NE PLUS JAMAIS TE REVOIR PARMI NOUS...

D'AUTANT QUE J'AI FURIEUSEMENT BESOIN DE TOI. TU AVAIS RAISON, LE "BAD SANTA" NE SE CONJUGUAIT PAS AU SINGULIER, ILS ÉTAIENT PLUSIEURS À PROFANER LE BONNET DU PÈRE NOËL.

ALORS, VOUS AVEZ RÉUSSI À LES CHOPER ?

AVANT-HIER SOIR, UNE FUSILLADE A ÉCLATÉ DANS LE LOWER EAST SIDE, DANS UN BAR UKRAINIEN, LE "LITTLE KIEV". UNE SORTE DE RÈGLEMENT DE COMPTES, DES TYPES AVEC DES TATOUAGES SUR TOUT LE CORPS, UN PEU COMME LES TIENS.

ON A TROUVÉ LÀ AUSSI UNE PLEINE CAISSE DE BONNETS DE PÈRE NOËL. TU PARLES QU'ON A VITE FAIT LE RAPPROCHEMENT !...

NOS AS DE LA CRIM ONT DÉCOUVERT QUE CES PUTAINS DE CRIMINELS VENAIENT TOUT DROIT DES GOULAGS DE SIBÉRIE. ILS AVAIENT ÉTÉ AMNISTIÉS ET LIBÉRÉS POUR IMMIGRER CHEZ NOUS. MERCI DU CADEAU !

ET ILS ONT ÉTABLI LEUR NOUVEAU TERRITOIRE ICI, À MANHATTAN.

ET POURSUIVI LE CHAOS QU'ILS AVAIENT ENTAMÉ LÀ-BAS. EN VIOLANT, PILLANT ET ÉGORGEANT COMME ILS EN AVAIENT L'HABITUDE.

MAIS CE QUI EST BIZARRE, C'EST QU'APRÈS AVOIR CRU QU'IL S'AGISSAIT D'UN RÈGLEMENT DE COMPTES ENTRE GANGS, NOUS AVONS INTERROGÉ LES TÉMOINS. ON S'EST APERÇUS QU'ON AVAIT PLUTÔT AFFAIRE À UNE SORTE DE JUSTICIER.

ET CE QUI EST PLUS ÉTRANGE ENCORE, C'EST QU'AUCUN DES TÉMOIGNAGES NE CONCORDE SUR L'IDENTITÉ DE L'AUTEUR DE CE CARNAGE. CERTAINS ONT VU UNE PETITE FILLE !

UNE PETITE FILLE !! TU TE RENDS COMPTE ?

D'AUTRES NOUS ONT DÉCRIT UN PETIT GARÇON COIFFÉ D'UNE CHAPKA. UN AUTRE CROIT AVOIR VU UN ADULTE AVEC UN NEZ CASSÉ !... ET LA PLUPART SONT FORMELS. ON EST HABITUÉS AUX TÉMOIGNAGES FANTAISISTES, D'ACCORD, MAIS LÀ, C'EST DU DÉLIRE. ON NAGE EN PLEINE CONFUSION !...

ON DIRAIT QUE TOUS CES TÉMOINS ONT RÊVÉ CE QU'ILS ONT VU !

C'EST PEUT-ÊTRE ÇA !

MON MAÎTRE DISAIT QUE LES HOMMES ÉTAIENT DES SONGES QUI VIVENT DANS UN SONGE IGNORANT QUI LES RÊVE.

DEPUIS LA MORT DE STALINE, LES CAMPS SE VIDAIENT PEU À PEU, AU POINT QU'IL RESTAIT BIENTÔT PLUS DE GARDIENS QUE DE DÉTENUS. JE N'AVAIS PLUS JAMAIS REVU KIRIL-LA-BALEINE, POURTANT, QUELQUE TEMPS AVANT MA LIBÉRATION, IL M'AVAIT FAIT PARVENIR UN PAQUET QUI CONTENAIT LA MAIN MOMIFIÉE DE MON PÈRE, UN FAUX PASSEPORT AMÉRICAIN ET UNE LIASSE DE BILLETS DE 1000 DOLLARS.

VOUS N'AVEZ PLUS RIEN À FAIRE ICI. NOUS ALLONS VOUS TRANSFÉRER À MAGADAN, VOUS DONNER QUELQUES ROUBLES, ET DÉBROUILLEZ-VOUS !

JE QUITTAIS À TOUT JAMAIS CE TERRITOIRE MAUDIT DE LA KOLYMA.

MES RÊVES AVAIENT TROUVÉ UNE COMPLICE...

JE N'ÉTAIS PLUS SEUL.

DOSSIER GRAPHIQUE

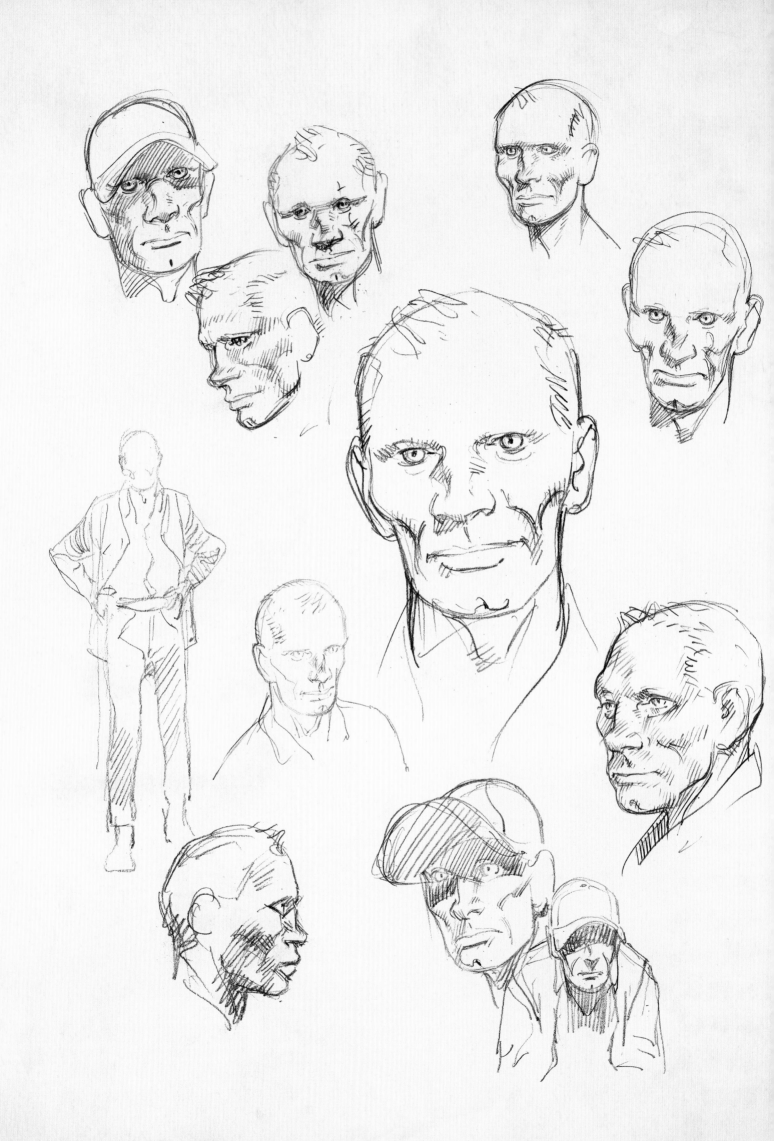

FRANÇOIS BOUCQ
Dessinateur

S'il a commencé dans l'illustration de presse avec des caricatures pour des magazines aussi renommés que *Le Point*, *L'Expansion* ou *Playboy*, c'est dans la bande dessinée que François Boucq explose véritablement. De son expérience passée, il retire un goût prononcé pour les visages expressifs et le dessin fouillé, magnifié par un sens peu commun du cadrage et de la mise en scène. Il se fait connaître pour ses récits humoristiques, où l'absurde le dispute souvent à la parodie. Il crée le personnage de Jérôme Moucherot, un agent d'assurances pas tout à fait comme les autres, parcourant la jungle de l'existence en costume léopard.

Doué d'une capacité de travail peu commune (il lui est arrivé de dessiner jusqu'à deux planches par jour, sans jamais renoncer à la qualité qui a fait sa réputation), François Boucq délaisse volontiers l'humour pour se consacrer à des récits plus réalistes. Il adapte ainsi le romancier américain Charyn (*La Femme du magicien*, *Bouche du diable*, *Little Tulip*) explore le western avec Jodorowsky, dans les pages de *Bouncer*, ou les services secrets du Vatican avec Sente (*Le Janitor*). Héritier direct d'un Giraud, Boucq a ouvert des portes dans le dessin réaliste. Au fil des années, cette synthèse entre caricature et rigueur, lisibilité et précision du dessin a donné naissance à un style unique, qui lui permet de faire vivre tous les genres de récit avec le même brio. Il a publié un cinquième tome des aventures de Jérôme Moucherot, *Le Manifeste du mâle dominant*, aux Éditions du Lombard, rééditant pour l'occasion les quatre premiers volumes de cette série unique et désopilante. *Bouche du diable*, *La Femme du magicien* et *Little Tulip* trouvent aujourd'hui naturellement leur place dans la prestigieuse collection Signé.

JEROME CHARYN
Scénariste

L'œuvre de Jerome Charyn, prolifique, impressionnante, et récompensée par de nombreux prix, porte une écriture unique et un univers fabuleusement personnel. Imprégnés par la ville de New York, où l'auteur est né en 1937, ses ouvrages mettent en scène une ville qui fourmille de rues mystérieuses, de coins secrets et de quartiers sombres… Originaire du Bronx, Jerome Charyn nous emmène là où on ne s'y attend pas, dans des ruelles de traverse, entre déséquilibre et chaos, vers des contrées souvent policières et parfois autobiographiques. Maître incontesté du polar (*Zyeux-bleus*, *Marilyn la dingue*, *Citizen Sidel*), il part à la recherche des rêves de l'Amérique, et de tous les individus qui la peuplent. Dealers, policiers, immigrés, politiciens véreux, âmes solitaires… Il raconte les condamnés et les réprouvés de la ville qui ne dort jamais. *Bouche du diable*, *La Femme du magicien* et *Little Tulip*, réalisés en collaboration avec François Boucq, n'échappent pas à la règle. Écrivain humaniste et talentueux, Jerome Charyn est aussi l'auteur de nombreux romans (*Darlin' Bill*, *Metropolis*, etc.), essais et nouvelles. Considéré par certains comme l'un des écrivains les plus importants de la littérature américaine contemporaine, il n'a pas fini de nous impressionner.

OUVRAGES DE BOUCQ

Aux Éditions du Lombard
Belmondo s'affiche (collectif)
Cocktail transgénique (avec Karim)
La Dérisoire effervescence des comprimés
La Pédagogie du trottoir
Lautner s'affiche (collectif)
Les Aventures de Jérôme Moucherot :
5 titres
Les Aventures de la mort et Lao-Tseu :
2 titres
Les Pionniers de l'aventure humaine
Rock Mastard, Échec à la Gestapo
(avec K. Belkrouf)
Rock Mastard, Pas de deo gratias
pour Rock Mastard (avec P. Delan)

Dans la collection « Signé »
Bouche du Diable (avec J. Charyn)
La Femme du magicien (avec J. Charyn)
Little tulip (avec J. Charyn)

À venir aux Éditions du Lombard
Face de Lune : 5 titres
(avec A. Jodorowsky)
Les Aventures de la mort et Lao-Tseu :
2 titres
Point de fuite pour les braves
(scénario collectif)
Un Point c'est tout (avec Karim)

Aux Éditions Albert René
Astérix et ses amis (collectif)

Aux Éditions Balland
New York, du ventre de la bête
(avec J. Charyn)

Aux Éditions Casterman
Le Violon et l'archer (collectif)

Aux Éditions Dargaud
La Vie, la mort et tout le bazar
(avec P. Delan)
Le Janitor : 4 titres (avec Y. Sente)
Rubrique Abracadabra
(avec Karim, collectif)
XIII Mystery, Colonel Amos
(avec Alcante)

Aux Éditions Delcourt
Renaud — BD d'enfer (collectif)
Du Souchon dans l'air (collectif)
Les Pires Noël (collectif)

Aux Éditions Fluide Glacial
Les Leçons du professeur Bourremou
(avec P. Christin)

Aux Éditions France Inter
Contes de Noël pour adultes
(avec G. Sire)

Aux Éditions Glénat
Bouncer : Tomes 8 et 9

Aux Éditions Hors Collection
Quelle époque épique ! (avec Y. de la Bigne)

Aux Éditions Les Humanoïdes Associés
Bouncer : 7 titres et 3 intégrales
(avec A. Jodorowsky)
Le Trésor de l'ombre (avec A. Jodorowsky)

Aux Éditions Invenit
Le Feu (d'après H. Barbusse)

Aux Éditions Mosquito
Une monographie
Bestiaire de poche

Aux Éditions Sangam
San-Antonio (d'après F. Dard)

OUVRAGES DE CHARYN

Aux Éditions du Lombard

Dans la collection « Signé »
Bouche du Diable (avec F. Boucq)
La Femme du magicien (avec F. Boucq)
Little tulip (avec F. Boucq)

Aux Éditions Balland
New York, du ventre de la bête
(avec F. Boucq)

Aux Éditions Casterman
Au Nom de la famille (avec J. Staton)
Le Croc du serpent (avec J. Muñoz)
Les Frères Adamov (avec Loustal)
Panna Maria (avec J. Muñoz)
White Sonya (avec Loustal)

Aux Éditions Denoël
Marilyn la dingue (avec F. Rébéna)

Aux Éditions Gallimard Jeunesse
Bande à part (avec J.-C. Denis)

Aux Éditions Glénat
Margot : 2 titres (avec M. Frezzato)

Aux Éditions du Masque
Madame Lambert (avec A. Gefe)

Aux Éditions Mille et une nuits
Une Romance (avec Loustal)